孩子們的瑜伽心生活運動

台灣兒童瑜伽老師 Phoebe Chang（張以昕）

在兒童瑜伽課堂上，帶領孩子們結束身體的練習後，我們總會圍成一圈，燃起一盞燈，靜坐片刻。這是整堂課中最讓我享受的時刻。經過一個鐘頭的肢體伸展後，孩子們能夠很自然地回到靜止的狀態。哪怕是年紀很小的幼兒，尚不知靜心為何物，仍能跟著大家盤起腿，閉上眼睛，感受呼吸和靜悄悄的心。

我深信，瑜伽與靜心帶來愉悅的內在經驗，將在幼小的心靈中留下美好的印記，日後在生命旅途中偶感窒礙難行時，不至於不知所措，能夠隨時拾起這把開啟平靜的鑰匙，順利歸返心家。

台灣瑜伽的發展自一九七〇年以來，已有四十餘年歷史，然而兒童瑜伽的推廣卻比成人瑜伽遲了許多。這有一部分肇因於大眾對於瑜伽的刻板印象，所衍伸的諸多疑問：「小孩本來就很柔軟了，為什麼還要拉筋？」「瑜伽是大人的運動，孩子根本靜不下，該如何做瑜伽？」

其實瑜伽並不是體操，也不只有體位法。讓孩子練習瑜伽不只能獲得身體方面的好處，諸如增強免疫力、改善體態與不良姿勢、均衡骨骼肌肉的發展等等，還能培養自我控制的能力、增強專注力，釋放成長過程中的種種壓力，擁有一顆擅於覺察、自省且容易靜下來的心。

因此，引導孩童練習瑜伽必須兼顧身心靈三個層面，除了眾所周知的「調身」（Asana）之外，還有「調息」（Pranayama）與「調心」（Meditation），共同幫助個體達成內外在的穩定和諧。

在《孩子，我們一起靜心瑜伽吧》一書中，作者瑪莉安・蓋茲遵循傳統哈達

Phoebe 老師經歷：

❋美國瑜伽聯盟 Yoga Alliance RYT200 認證瑜伽老師

❋Yoga Zoo 兒童瑜伽動物園 90 小時師資訓練結業

❋2013 年起數度赴印度進行瑜伽能量呼吸法、靜坐與瑜伽研修

❋曾與國立台北教育大學推廣教育中心、台北市私立中山國民小學、桃園創新技術學院、長靴貓親子共學園、樂適能 joyfit 運動教室、台灣喜馬拉雅瑜伽靜心協會（AHYMSIN Taiwan）、參諦瑜伽 Shanti Yoga 等知名機構與學校單位合作開設親子與兒童瑜伽課程

瑜伽的練習原則，首先引導孩子利用太陽呼吸法（Sun Breath）進行「調息」，找到呼吸的覺知，讓心情沉澱下來。接著在「調身」的體位法動作中延展肢體，並延續對呼吸的關照，讓孩子回到專注又放鬆的狀態。

在孩子的體位法練習中，所有的動作名稱皆有擬人化的趣味稱呼，並結合大自然的動植物，例如小鳥式、瓢蟲式、火山式、滑雪式等等，能夠激發孩童的想像力與創造力，在愉悅的氛圍中培養對練習的興趣。

結束動態的伸展後，進入「調心」的主題。作者最後分別安排了「我想如何感受今天」、「搭乘雲朵入夢鄉」兩種不同型態的靜心練習。藉由「蓮花式」與「大休息式」來鬆弛身心，並輔以孩子的語言作一情境式的觀想引導，讓孩子體驗冥想所帶來的深層靜定及滿滿喜悅。

在家帶領孩子做瑜伽時，孩子未必能完全遵照父母的指令，常讓爸媽感到挫折。此時大人可以暫時拋下指導者的身分，先把注意力放在自己身上，當我們能夠專注於練習時，孩子自然也會覺得好玩，慢慢開始模仿我們的動作。或者帶著幼兒共讀後，讓孩子自行選擇喜歡的動作邊做邊玩；年紀較大的孩子則可自行閱讀後，與爸媽、手足或好友一起練習，皆能充分享受瑜伽的樂趣。

願本書能讓大、小朋友在早晨與睡前時刻，藉由瑜伽練習連結身體和呼吸，讓身心重獲安穩，並能更進一步的在靜心中與愛及平靜連結，最後帶著滿足的笑容迎接嶄新的一天，或是放鬆愉快地進入夢鄉。親子攜手啟動瑜伽心生活運動，就從今天開始！

孩子，我們一起靜心瑜伽吧：
早安篇

Good Morning Yoga:
A Pose-by-Pose Wake Up Story

瑪莉安・蓋茲 Mariam Gates／著

莎拉・珍・杭德 Sarah Jane Hinder／繪

胡君梅／譯　張以昕／審訂

獻給我聰明美好的教子艾米里亞（Emilia）
和普托里米（Ptolemy）。
——瑪莉安

獻給我可愛的姪女斯泰西（Stacey）
與伊莎貝兒（Isabel），
讓我想當姑姑的夢想成真了！
——莎拉

吸氣時，張開手臂，
迎向早晨的天空，
吐氣時，放下手臂，
讓自己放輕鬆。

我慢慢地呼吸，把氣吸得好深又好長。

慢慢吸氣，再慢慢吐氣，
先把身體轉向一邊，
再慢慢轉向另一邊，
手臂跟著自然地擺動。

我扭扭身體，把瞌睡蟲趕跑囉！

我站得直直的，大D吸氣，再大D吐氣，
踮起腳尖，手向上舉高，
手指頭像是要摸到天空。

我是一座岩漿噴高高的火山。

慢慢吸氣,再慢慢吐氣,
膝蓋彎曲,身體前傾,
手臂滑向後方。

滑雪選手準備要衝出去囉。

閃電啾啾劃過天空。

慢慢吸氣，再慢慢吐氣，
我膝蓋彎曲，
手臂咻一個往前滑向天空。

慢慢吸氣，再慢慢吐氣，
我腳丫子貼地，
把背挺得直直的，
肩膀放鬆，雙手放在身體兩側。

我是一座安靜又穩定的大山。

山上的溪水輕柔地往下流。

慢慢吸氣，再慢慢吐氣，
輕柔地彎下腰，膝蓋微彎，
讓溪水順著我的背往下流。

貪玩的狗狗伸展著自己的背。

慢慢吸氣，再慢慢吐氣，
我的手掌心與腳丫子貼地，
屁股往上翹得高高的。

我是一個冷靜又清醒的探險家。

慢慢吸氣，再慢慢吐氣，
我的膝蓋與手掌貼地，
然後左手向前伸直，
右腿向後伸直，
保持平衡，然後換邊。

我變成了一座橋喔。

輕輕地躺下來，慢慢吸氣，
再慢慢吐氣，
膝蓋彎曲，
雙手穩穩放在身體兩邊，
然後腳丫子向下一踩，屁股往上提高。

我要乘坐帆船出海去囉。

慢慢吸氣，再慢慢吐氣，
身體挺直坐好，
然後把雙手、雙腳都舉起來，
膝蓋可以伸直，也可以彎曲。

我像蓮花一樣平靜，頭腦清醒，

**今天不論做什麼，告訴自己：我可以做到！
我準備好迎接美好的一天！**

盤腿坐著，

把背挺直，肩膀放鬆，

然後把雙手放在膝蓋上。

深深地吸氣……

再長長地吐氣……

早安靜心瑜伽
動作流程

太陽呼吸法

張開手臂，
迎向天際
收合手臂，
放鬆下沉

扭腰式

扭轉身體，
轉向兩側
搖擺手臂，
前後伸展

火山式

踮起腳尖，
高舉雙手
指尖向上，
衝向天空

小狗式

手掌貼地，腳掌貼地
臀部上提，朝向天際

桌子式

膝蓋跪地，抬高左腿（或右腿）
保持平衡，提起右手（或左手）

滑雪式	閃電式	山式	小溪式
彎曲膝蓋， 身體下壓 手臂後滑， 蓄勢待發	膝蓋彎曲， 身體前傾 雙手往前， 滑向天空	穩穩站立， 腳掌貼地 把背挺直， 雙手合掌 （或手在身側）	捲動脊椎， 身體下垂 膝蓋微彎， 順流而下

橋式	船式	蓮花式
躺平身體，膝蓋彎曲 雙手貼地，臀部上提	挺直坐好， 雙腿向前 身體後仰， 手腳上提	盤腿坐穩，肩頸放鬆 手放膝上，覺察呼吸

冥想操：
我想如何
感受今天？

找個舒服的位子，坐下來。
眼睛輕輕閉上，肩膀放鬆下垂，手掌放在膝蓋上。
背再挺直一點點，頭再往上提高一點點。

深深地吸氣……慢慢地吐氣……

放鬆全身，吸氣時，感覺氣息進入身體裡面；
吐氣時，感覺氣息從體內流出。

這感覺很酷吧？有溫暖的感覺嗎？

現在，在心中默想一個詞語，那就是你今天想要有的感覺，
可以是喜悅、仁慈、友善、好奇、平靜、興奮，或勇敢也行。
選一個你今天最想要有的感覺，記在心上。

吸氣時，讓你想要的那個感覺充滿自己；
吐氣時，把那個感覺送給全世界。
領受你今天所想要的感覺。

再深深地吸一口氣……然後慢慢吐氣……

睜開眼睛，你已經準備好迎接全新的一天囉！

動作示範圖解

太陽呼吸法

張開手臂，迎向天際
收合手臂，放鬆下沉

功能

伸展手臂及身側的肌肉，調整呼吸，喚回孩子的專注力。

給父母的小叮嚀

跟著呼吸的速度擺動手臂，吸氣結束時，雙手剛好來到最高處；吐氣完成時，雙手正好降到最低處，記得手部要緩慢移動喔！

動作流程

① 立正站好，手臂向兩側伸展

2 慢慢吸氣，
張開雙臂，
舉向空中

慢慢吐氣，手臂
下沉，回到身側

3

扭腰式

扭轉身體，轉向兩側
搖擺手臂，前後伸展

功能
放鬆手臂、胸腰及背部等上半身的肌肉。

給父母的小叮嚀
在甩手的過程中逐漸放掉全身收緊的力量，最後讓雙手輕快地拍打兩側的身體，發出響亮的「啪啪」聲。

動作流程

① 雙腳打開比臀部略寬，雙手放鬆地垂放在身體兩側

② 腰先向右邊扭轉，
手臂自然擺動舉向
空中

③

腰再向左邊轉動，
手臂一樣自然擺動

火山式

踾起腳尖，高舉雙手
指尖向上，衝向天空

功能

建立腳踝、大腿和腹部肌肉的力
量，伸展背部、胸腋及手臂的肌
肉，並在平衡的停留中找到內在的
穩定與活力。

給父母的小叮嚀

記得雙腿要夾緊，腹部內收，穩定
腳趾和腳踝的力量，才能成為站得
穩穩的小火山喔！

1

雙腳併攏，
手在身側

2 吸氣時高舉雙手，充滿力量地向上延伸，同時踮起腳尖，保持平衡，停留數個呼吸

滑雪式

彎曲膝蓋，身體下壓
手臂後滑，蓄勢待發

功能

深蹲的動作可增強腿部肌肉的力量，同時提起胸口的姿勢，能夠讓呼吸更順暢。

給父母的小叮嚀

記得把胸口打開（挺胸），才能舒服地呼吸唷！

① 雙腳併攏站好

2 吐氣，彎曲膝蓋，身體前傾，將臀部向後推

3

接著吸氣，提起胸口向前看，手臂向後延伸

閃電式

膝蓋彎曲，身體前傾
雙手往前，滑向天空

功能

強化腿部及後背肌肉，增進肌耐力，帶來滿滿活力。

給父母的小叮嚀

記得放鬆肩膀，維持大腿及腹部的力量，膝蓋的位置以不超過腳踝過多為宜，視線和呼吸要保持專注。

①

雙腳併攏，
手臂放鬆

② 向下深蹲，手指
輕觸地板

③ 維持膝蓋彎曲，
雙手上舉於雙頰
兩側

山式

穩穩站立，腳掌貼地
把背挺直，手在身側

功能

調整身體的姿勢，找到穩定站立的
感覺，平衡孩子焦躁不安的心。

給父母的小叮嚀

如果孩子願意，可以閉目享受這個
動作，一邊覺察呼吸。在吸氣的時
候數一，吐氣的時候數二，反覆數
息，感受氣息也跟山一樣穩定。

雙腳併攏，雙手在身體
兩側，挺直背脊，放鬆
肩膀（或可雙手合掌於
胸前）

小溪式

捲動脊椎，身體下垂
膝蓋微彎，順流而下

功能
伸展背部及腿後側，同時沉澱心靈，感受內在的平靜。

給父母的小叮嚀
前彎時務必放鬆肩膀，稍微曲膝，讓腰背保持既安全又舒服的狀態喔！

① 雙腳併攏，高舉雙手

2 膝蓋微彎

3

向下彎腰對折直到肚子碰到大腿，安靜地停留在呼吸之中

小狗式

手掌貼地，腳掌貼地
臀部上提，朝向天際

動作流程

①

功能

伸展腿後側及背部肌肉，強化肌耐力，建立手臂及腿部的力量。

給父母的小叮嚀

雙手的虎口要記得壓向地板，收緊大腿及腹部的肌肉，大朋友若腿後側較為緊繃，記得稍微曲膝並踮起腳尖，將坐骨充分向上推高喔！

膝蓋跪地，雙手貼地，
然後腳趾踩地

② 吐氣時，將膝蓋慢慢離
地，臀部向上推高，繼
續穩定手掌的力量，視
線朝向大腿的方向

桌子式

膝蓋跪地，抬高左腿（或右腿）
保持平衡，提起右手（或左手）

動作流程

膝蓋跪地，雙手
和腳背貼地

功能

鍛鍊腿部及腹部的力量，強化平衡
感，提高專注力，增進自信心。

給父母的小叮嚀

練習時記得右手要配合左腿，左手
則搭配右腿，不要做成同手同腳
喔！

2 左腿打直向上舉起，
穩定後再伸直右手，
視線看向前方

3

保持平衡數個呼
吸，再換邊練習

橋式

躺平身體，膝蓋彎曲
雙手貼地，臀部上提

功能

強化雙腿及腹背力量，改善呼吸道
過敏；啟動橫膈膜呼吸，感受內在
的平靜。

給父母的小叮嚀

當達成動作的外型之後，別忘了停
留片刻，充分享受呼吸的流動喔！

① 平躺曲膝，雙手貼在臀部兩側的地板上

② 吸氣時慢慢將臀部、腰部、背部依序提起；停留數個呼吸後，吐氣時，緩緩將背部、腰部、臀部放回地板上

船式

挺直坐好，雙腿向前
身體後仰，手腳上提

功能
強化核心肌群、背部和雙腿力量，
增進全身的協調能力和平衡感。

給父母的小叮嚀
練習時要避免駝背，記得啟動腹背
肌肉，別讓小船沉到水底囉！

動作流程

1

曲膝坐好，雙手
放在臀部後方的
地板上

2

收緊下腹部，雙
腿併攏離開地板

3

雙臂伸直，掌心
相對，膝蓋可彎
曲也可伸直

蓮花式

盤腿坐穩，肩頸放鬆
手放膝上，覺察呼吸

1 雙腿交叉，雙腳一前一後放在地板上

2 坐穩之後，把背挺直，肩膀放鬆，胸口打開，雙手放在膝蓋上方

3 閉上眼睛，感受呼吸

功能

在連結呼吸的過程中，重新歸整繁雜的思緒，重拾平靜清醒的心靈。

給父母的小叮嚀

剛開始練習蓮花式的時間毋需太久，可以先抱著或牽著孩子的手，讓孩子感受到被支持。當父母能夠先回到安靜的狀態，這將是對孩子最好的幫助，他們隨後也會跟著爸媽一起練習。

| 作者簡介 |

瑪莉安・蓋茲（Mariam Gates）

哈佛大學教育學碩士，從事兒童教育領域超過 20 年。她著名的
「孩子力瑜伽課程」（Kid Power Yoga program）整合了她對瑜伽
與教育的熱愛，協助孩子們找到自己內在的天賦。目前與瑜伽教
師的丈夫羅爾夫・蓋茲，和兩個孩子住在加州聖塔克魯茲市，更
多訊息請參閱：mariamgates.com

| 繪者簡介 |

莎拉・珍・杭德（Sarah Jane Hinder）

莎拉・珍・杭德對插畫的熱愛浮現得很早，當她還在托兒所時，
就用蠟筆在自己童書的每一頁加上美麗的色彩。長大後，她教藝
術與設計課程，直到多年後她成為一個專職插畫家。她在許多童
書上開創丙烯顏料的作畫方式，包括「三隻小書」、「精靈和鞋
匠」。她目前與先生和兩個孩子住在英格蘭的曼徹斯特。

| 譯者簡介 |

胡君梅

當代正念領域經典書《正念療癒力》、《自我療癒正念書》譯
者，台灣「華人正念減壓中心」創辦人。台北教育大學心理與諮
商研究所碩士，政治大學宗教研究所碩士，並完成美國麻州大學
醫學院正念中心（CFM）認證師資的所有訓練課程，直接師事
「正念減壓」創始人喬・卡巴金博士。目前以專業、成長、涵
容、愛的精神，全心推廣正念減壓課程。

| 審訂者簡介 |

Phoebe Chang（張以昕）

兒童瑜伽老師 Phoebe 是一個喜歡書寫的瑜伽人，唸過中文研究所，也得過一些文學獎，並為報紙撰寫過專欄，當過副刊特約記者。後來在親身經驗瑜伽蛻變身心的過程後，取得美國瑜伽聯盟 Yoga Alliance RYT200 師資認證，完成 Yoga Zoo 90 小時兒童瑜伽師資訓練，並數度赴印度進修、旅行。她在教導兒童靜心與瑜伽的過程中，獲得深刻的喜悦與啟發，熱愛與孩子一起工作，當個快樂的猴子老師。

經歷：

* 美國瑜伽聯盟 Yoga Alliance RYT200 認證瑜伽老師
* Yoga Zoo兒童瑜伽動物園90小時師資訓練結業
* 2013年起數度赴印度進行瑜伽能量呼吸法、靜坐與瑜伽研修
* 曾與國立台北教育大學推廣教育中心、台北市私立中山國民小學、桃園創新技術學院、長靴貓親子共學園、樂適能joyfit運動教室、台灣喜馬拉雅瑜伽靜心協會（AHYMSIN Taiwan）、參諦瑜伽Shanti Yoga等知名機構與學校單位合作開設親子與兒童瑜伽課程

【特別感謝】

圖解撰稿：張以昕老師
動作示範：葉臻蓁小朋友、張以昕老師
拍攝指導：吳金石攝影師
場地提供：台灣喜馬拉雅瑜伽靜心協會
瑜伽墊提供：魯克海斯有限公司Fun Sport趣運動、approach yoga

BH0031B

孩子，我們一起靜心瑜伽吧：早安篇
Good Morning Yoga: A Pose-by-Pose Wake Up Story

作者｜瑪莉安・蓋茲（Mariam Gates）
繪者｜莎拉・珍・杭德（Sarah Jane Hinder）
譯者｜胡君梅
審訂｜張以昕
責任編輯｜田哲榮
美術設計｜黃淑雅

發行人｜蘇拾平
總編輯｜蘇拾平
副總編輯｜于芝峰
主編｜田哲榮
業務｜郭其彬、王綬晨、邱紹溢
行銷｜陳雅雯、張瓊瑜、蔡瑋玲、余一霞
出版｜橡實文化 ACORN Publishing
地址｜10544臺北市松山區復興北路333號11樓之4
電話｜02-2718-2001 傳真｜02-2718-1258
網址｜www.acornbooks.com.tw
E-mail信箱｜acorn@andbooks.com.tw
發行｜大雁出版基地
地址｜10544臺北市松山區復興北路333號11樓之4
電話｜02-2718-2001 傳真｜02-2718-1258
讀者傳真服務｜02-2718-1258
讀者服務信箱｜andbooks@andbooks.com.tw
劃撥帳號｜19983379 戶名：大雁文化事業股份有限公司

印刷｜中原造像股份有限公司
初版一刷｜2016年11月
定價｜320元
ISBN｜978-986-5623-62-3 (精裝)

國家圖書館出版品預行編目（CIP）資料

孩子，我們一起靜心瑜伽吧：早安篇/
　瑪莉安・蓋茲（Mariam Gates）著；
　莎拉・珍・杭德（Sarah Jane Hinder）繪；胡君梅譯.
　-- 初版. -- 臺北市：橡實文化出版：大雁文化發行, 2016.11
　譯自：譯自：Good morning yoga
　ISBN 978-986-5623-62-3（精裝）

　1.瑜伽

411.15　　　　　　　　　　105018204